W9-DEV-836

lead tamer

ZEP

Glénat

Du même auteur :

Titeuf
T1 à T15
Petite Poésie des Saisons
Le Monde de Zep
Titeuf a 20 ans
Le Guide du Zizi Sexuel
(textes d'Hélène Bruller)

Captain Biceps *(dessins de Tébo)*
T1 à T6

Comment dessiner ? *(dessins de Tébo)*

Les Chronokids *(dessins de Stan & Vince)*
T1 à T6
Les Grandes Inventions de l'Histoire

Éditions Glénat

Happy Sex
Happy Girls
Happy Rock
Happy Parents

What a Wonderful World

Éditions Delcourt

Les Minijusticiers
(textes d'Hélène Bruller)

Éditions Hachette

Carnet Intime

Éditions Gallimard

Une Histoire d'Hommes
Découpé en Tranches
Un Bruit étrange et beau

Éditions Rue de Sèvres

www.zeporama.com
www.tcho.fr

COULEURS : Laurence et Bruno CHEVRIER
Tchô! la collec'...

Couvent Sainte-Cécile – 37, rue Servan – 38000 Grenoble

ISBN : 978-2-344-02093-7 / 001
Dépôt légal : août 2017
Achevé d'imprimer en France en juin 2017 par Pollina - 12048,
sur papier provenant de forêts gérées de manière durable.

multiteuf

LES FILLES, ELLES ME VOIENT COMME ÇA :

LA MAÎTRESSE, COMME ÇA :
POUR ZIZIE :

POUR DIEGO-LE-RACKETTEUR, JE SUIS ÇA :

POUR RAMATOU :

POUR ROMUALD-LE-GROS-Q-I :

POUR LE CONCIERGE :

... POUR MES PARENTS :

HEUREUSEMENT QU'IL Y A MOI POUR ME VOIR NORMALEMENT ...
... SINON, CE SERAIT DU GÂCHIS.

nadiamorphose

le test d'orientatologie

Fouille fatale

mes parents sont ô ivégétariens

Loïc l'illuminé

AAH... ÇA Y EST !

QUOI ?

ILS ONT DÉCIDÉ DE NOUS ENVOYER UNE MÉTÉORITE !

La guerre de la rue Radiguet

le retour de
la fin du monde
GAW
ALORS, LES ENFANTS ? VOUS AVEZ JOUÉ À QUOI ?
...À LA MÉTÉORITE.
Z.

na p'tite
eur atomique
SORTIR DU NUCLÉAIRE
SIGNEZ LA PÉTITION POUR SORTIR DU NUCLÉAIRE !
?

"SORTIR DU NUCLÉAIRE" ?! JE SAVAIS PÔ QU'ON ÉTAIT DEDANS ...
BEN OUI. C'EST À CAUSE DES DÉCHETS...
... ON SAIT PAS QUOI EN FAIRE .

ON A QU'À LES METTRE À LA POUBELLE, NON ?!
ON PEUT PAS. PARCE QU'ILS SONT ENCORE RADIOACTIFS PENDANT 50 000 ANS ET ILS VONT TOUT NUCLÉARISER LES POUBELLES !

...ET SI ON LES ENTERRE ?
ILS VONT CONTAMINER LA TERRE... ÇA FERA DES SALADES ATOMIQUES !
...ET ON POURRA PLUS MANGER DE LÉGUMES.

PLUS MANGER DE LÉGUMES ?! C'EST GÉNIAL !
... PLUS DE FRITES NON PLUS.
AH. C'EST NUL.

ON PEUT LES ENVOYER DANS L'ESPACE !
BEN NON... APRÈS, ÇA RETOMBE ET PAF ! PLUIE NUCLÉAIRE SUR NOS TÊTES !

...ET LES JETER DANS L'OCÉAN, C'EST PIRE ! ÇA POLLUERA TOUT... ET Y AURA DES POISSONS-ZOMBIES RADIOACTIFS !!
OUAK !

C'EST PÔ POSSIB' !! 'FAUT ARRÊTER DE FABRIQUER DES DÉCHETS TOUT POURRIS DE L'ATOME DU ZIZI !!!
BIEN DIT !
ON VA DONNER L'EXEMPLE !!

ZIZIE !! TU DOIS APPRENDRE À ALLER SUR LE POT !!
'FAUT QUE TU SORTES DU NUCLÉAIRE !!
?
Z.

le roi de la piste

OH NON !! ELLE EST PASSÉE OÙ ??
ELLE DOIT SE CACHER...

LÀ!

ALORS, LES FILLES ...
ÇA PULSE ?
HI HI

KIFFE TON TUGUDU OH BABY B

TITEUF ! QUELLE ÉNERGIE !!!
TU DANSES AVEC MOI ?
AAAAAAAAA
ZIP

C'EST DOMMAGE, TON STYLE ÉTAIT ÉNORME !
... MAIS LE FINAL A PAS BIEN MARCHÉ...

Pôv' Momo
MOMO, IL A PLUS LE DROIT DE PÉTER.
ÇA OFFENSE LE PROPHÈTE.
IL PEUT PÔ NON PLUS PARLER À LA MAÎTRESSE.
PARCE QU'ELLE EST IMPURE !
J'SUIS D'ACCORD !
SURTOUT LE MATIN, ELLE EST IMPURE DE LA BOUCHE !
C'EST PARCE QU'IL EST SALAMISTE. C'EST UNE RELIGION OÙ ON A PÔ LE DROIT DE MANGER DU SALAMI.
VOUS VOULEZ ÉCOUTER LE DERNIER KEVIN LOVER ?
J'ÉCOUTE PAS. C'EST IMPUR.
... DES FOIS, JE SUIS UN PEU SALAMISTE.
TOI AUSSI, T'ES IMPUR !
MOI ?
MOI ??
ET TOI ? QUAND T'ENLÈVES TES BASKETS À LA GYM ??
T'ES HYPER IMPUR DE LA CHAUSSETTE !
PFFF...
... ÇA A RIEN À VOIR.
IL DOIT PÔ NON PLUS ÊTRE AVEC LES FILLES...
JE VEUX CHANGER DE PLACE !
... ALORS LA MAÎTRESSE, ELLE L'A MIS À CÔTÉ DE PUDUK ...
SALUT MOMO !

LE DIEU DE MOMO, IL EST VRAIMENT TROP DUR !

PFFFFFF

cyber boloss
ARF !
IL FERA MOINS LE MALIN !
Marco est un pti zizi
RH ! RHH !

HÉ MARCO ! T'AS VU ? ON PARLE DE TOI SUR LES MURS !
HIHI !
?
Marco est pti zizi

C'EST NUL ! Y'A PLUS QUE LES DÉBILOSAURES PRÉHISTORIQUES QUI FONT ÇA !
?
TIP
TIP

EN DIX SECONDES, J'AI CRÉÉ LE GROUPE "TITEUF PUE DU SLIP" ...
HEIN ?
bling
AH ! DÉJÀ UN FAN !

ÇA AUGMENTE... DÉJÀ 23 MEMBRES !
24 !
T'ES VACHEMENT POPULAIRE !
J'SUIS PÔ POPULAIRE !!!
bling
bling
un pti zizi

Y'A MÊME DES COMMENTAIRES : "CÉ VRÉ KIL PU DU SLIPP."
ÇA, C'EST RAMON. SON ORTHOGRAPHE L'A TRAHI !

CONTINUE TES FRESQUES DU MOYEN ÂGE...
MOI, JE LAISSE LA TECHNOLOGIE TE CYBER-POURRIR LA MÈCHE !
TCHÔ
arco est un pti zizi

C'EST HORRI...
HÉ ! QU'EST-CE QUE TU FAIS ?!
BEN... JE LIKE.

MAIS T'ES MON COPAIN !!!
C'EST PAS POUR ÇA QUE J'AI PAS LE DROIT DE FAIRE PARTIE DU GROUPE.
SI T'ÉTAIS **VRAIMENT** UN AMI, TU COMPRENDRAIS.

C'EST DÉGUEULASSE !!
OH LA LAA...
C'EST VRAI QUE TU PUES DU SLIP !
rco est un pti zizi

JE...
Marco est un pti zizi

PFFF... DOMMAGE QU'IL Y AIT PÔ DE CYBER-CONCIERGE !
Z.

justice thérèse
PFFF... TOI AUSSI, TU FAIS PARTIE DU GROUPE, THÉRÈSE ?

URK ! URK ! "TITEUF PUE DU SLIP" ! C'EST RIGOLO !
MERCI, J'AVAIS VU.
... ET C'EST PÔ DU TOUT RIGOLO.

IL Y A AUSSI "THÉRÈSE EST DÉBILE" ... 143 MEMBRES WAAA !
QUOI ?
ÇA TE MET PÔ EN COLÈRE ?!

HIN HIN HIN ! T'ES TROP BÊTE, TITEUF !
TU PEUX PAS ÊTRE FÂCHÉ CONTRE UN TÉLÉPHONE !!
HEIN !?
MAIS SI ! ... TU PEUX !!!

MAIS NON.
OÙ ÇA ?
MAIS SI !! TU VOIS BIEN !!! Y'A 143 MEMBRES... C'EST DES GENS QUI SE MOQUENT DE TOI !!!

MAIS SUR CETTE PAGE ! TRIPLE SLIP !!!
143 PERSONNES DANS UN TÉLÉPHONE ? ... TU DIS N'IMPORTE QUOI.

TU DEVRAIS PAS CROIRE CE QUE DIT UNE MACHINE...
MAIS ?
HÉ, THÉRÈSE !

T'AS VU TA PAGE ?
PFFRT.
DONNE.

CRASK

VOILÀ.
J'AI DONNÉ UNE PUNITION AU MÉCHANT TÉLÉPHONE.
... SI J'AVAIS UN PORTABLE, JE CRÉERAIS UN GROUPE ...
"THÉRÈSE EST UN GÉNIE"
Z.

logique titeufienne
TITEEEUF !!

TU DEVAIS DÉBARRASSER LA TABLE !
AH OUI ! ... MAIS LÀ, JE TRIE MES ANCIENS JOUETS ! ...
... COMME MAMAN ME L'A DEMANDÉ.

TITEUF...
JE VAIS LE FAIRE !
... TOUT DE SUITE APRÈS MA DOUCHE !

JE PFFF TERMINE MON ENTRAÎNEMENT PFFF SPORTIF... ET JE LE FAIS !
PFFF

OUI, MAIS LÀ J'APPRENDS À MARCHER À ZIZIE...
GA
BA

VE PEUX PÔ... VE ME BROFFE LES DENTS...

ÇA SUFFIT ! TU T'ES DÉJÀ BROSSÉ LES DENTS TROIS FOIS !!!

SI TU FAISAIS CE QU'ON TE DEMANDE TOUT DE SUITE AU LIEU D'INVENTER MILLE PRÉTEXTES POUR Y ÉCHAPPER...
... CE SERAIT DÉJÀ FAIT !

... ET ON PERDRAIT TOUS MOINS DE TEMPS !!
SLAM :

TU VERRAIS QUE SI TU LE FAISAIS TOI-MÊME ...
... ON PERDRAIT ENCORE MOINS DE TEMPS.

Z.

l'invulnérable discret-man

QUAND JE M'ENNUIE DANS LE BUS...

J'IMAGINE QUE JE SUIS ENTOURÉ DE SUPER-HÉROS EN CIVIL...

...ET J'ESSAIE DE DEVINER LEUR IDENTITÉ SECRÈTE.

JURASSIC-MAN :

CAPTAIN CHOCOLAT :

BOUTON-MAN :

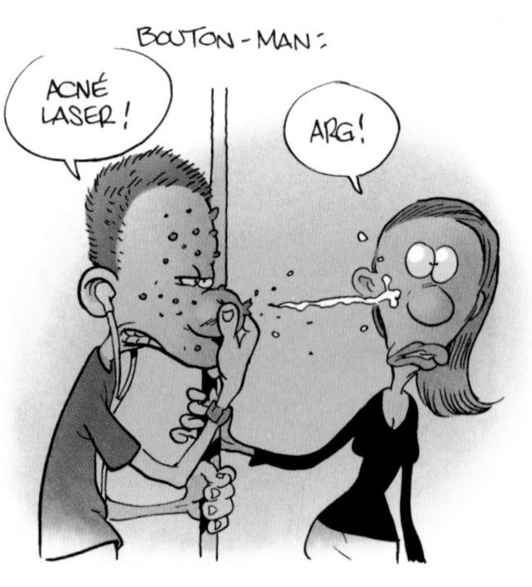

MISTER FUSION :

VAMPIRE-GIRL :

INVISIBLE-MAN :

... MAIS LE PLUS REDOUTABLE DE TOUS N'EST JAMAIS DÉMASQUÉ :

... CAPTAIN CHOU-FLEUR !

toriel

T'ES PRÊT POUR TON RENDEZ-VOUS AVEC RAMATOU ?
BEN OUI !
DEMAIN, APRÈS L'ÉCOLE, CHEZ ELLE !
T'ES TROP FORT !

TU CROIS QUE VOUS ALLEZ FAIRE L'AMOUR ?
HEIN ?!!
ÇA VA PÔ ?!!!

ON VA PÔ DU TOUT FAIRE L'AMOUR !! C'EST POUR LES GRANDS...
ON VA JUSTE SE FAIRE DES... BISOUS SUR... HEU, LES OREILLES.
C'EST TOUT !
BOH... MOI, JE DISAIS ÇA POUR TOI.

...AU CAS OÙ ELLE VOUDRAIT FAIRE L'AMOUR ET QUE TU SERAIS PAS PRÊT.
HEUU...
TU CROIS ?

ON PEUT ALLER SE RENSEIGNER SUR INTERNET... MON COUSIN M'A DIT QU'IL Y A PLEIN DE VIDÉOS...
Y'A QU'À TAPER "SEXE".

'FAUT ÊTRE TROIS POUR FAIRE L'AMOUR ?
BEN...
...ET T'ES SÛR QU'IL FAUT DONNER DES CLAQUES SUR LES FESSES ?

J'VEUX PÔ ÊTRE TROIS, MOI !!
TU FAIS COMME TU VEUX... SI TU VEUX LA JOUER PERSO...
...HÉÉÉ ! ELLE FAIT QUOI, LA FILLE ?

ELLE LUI MANGE LE ZIZI !!
DÉGUEU' !

POURQUOI ELLE FAIT UN TRUC PAREIL ??
J'SAIS PAS... C'EST QUAND MÊME DU SPORT... ÇA DOIT DONNER FAIM ?
BEURK

TCHÔ RAMATOU ! SI JAMAIS TU VOULAIS HEUU... JE SUIS VENU AVEC MON ÉQUIPE.
...ET SI T'AS TRÈS FAIM, J'AI PRIS UN GROS PAQUET DE CHIPS !
?
?
JE PRÉFÈRE.

papa-les-bons-tuyaux
PAPA ?
MH...

QUE ... HEU ... QU'EST-CE QU'ON FAIT AVEC ... HEU ... UNE FILLE ... QUAND ON A UN RENDEZ-VOUS ?

EH BIEN ... VOUS POUVEZ RÉVISER VOS LEÇONS ENSEMBLE ...
QUOI ?!
JE PLAISANTE.

TU PEUX L'EMMENER AU PARC.
POUR FAIRE QUOI ?
JE SAIS PAS, MOI ... JOUER AU FOOT ?

JOUER AU FOOT ?!
TU FAISAIS ÇA AVEC MAMAN ??
HEU...

AVEC MAMAN, ON ALLAIT AU CINÉMA ...
... AU MUSÉE ...
AU MUSÉE ?
... ELLE ÉTAIT OBLIGÉE DE VENIR ?

ELLE N'ÉTAIT PAS OBLIGÉE ! ELLE VENAIT PARCE QU'ELLE ÉTAIT AMOUREUSE !
AAH ... QUAND ON EST AMOUREUX, ON VA AU MUSÉE ...

... MAIS ON DOIT PÔ SE METTRE TOUT NUS ET SE FAIRE DES BISOUS ?
QUOI ?!!
ÇA VA PAS LA TÊTE ?!!

EMMÈNE-LA AU PARC, COMME JE T'AI DIT !
... ET LAISSE-MOI TRAVAILLER !

ALORS ?
J'AI CHANGÉ DE SLIP POUR RIEN.

pô tout à fait acquis
PAK PAK PAK
GNN
MN
BRASH
KLING
MM
MM
POURQUOI L'ÉCOLE N'ENSEIGNE PAS COMMENT DÉBARRASSER LA TABLE ET REMPLIR LE LAVE-VAISSELLE ?
HÉLAS...
Z.

Commandant titeuf

C'EST RIEN !
... JUSTE UNE QUESTION DE RÉGLAGE !
HUM.

IL Y AVAIT UN PROBLÈME DE PORTANCE AÉRODYNAMIQUE SUR LE ROTOR AVANT.
JE ME DISAIS AUSSI.

GO !
MOUAIS.

ALPHA TANGO VA ATTEINDRE SA CIBLE !
C'EST QUI, "ALPHA TANGO" ?
LAISSE TOMBER, C'EST DU LANGAGE DE PRO.

QU'EST-CE QU'IL FOUT, CET ALPHA TANGO DU SLIP ?!?
... MAIS NON !
TIK TIK TIK

REVIENS ICI !!

NOOOON...
?

LÀ...
JE CROIS QUE TU AS UN SÉRIEUX PROBLÈME DE RÉGLAGE...

ÇA VA...

Zen
flokes
maths
pour manger svp
Neil Old
ALORS ? C'EST AUJOURD'HUI, TON RENDEZ-VOUS AVEC RAMATOU ?
C'EST LE GRAND JOUR !!
HEIN ?
QUI ?
HMM ?
AH, RAMATOU !
MOUI... PEUT-ÊTRE ...
'FAUT RESTER COOL DU SLIP, TU SAIS...

ove
mmando

POUR UN RENDEZ-VOUS AVEC UNE FILLE, 'FAUT PÔ SE DÉGONFLER !
ARGH !
JE ME DÉGONFLE !
PRT
PRET PROUT

...'FAUT BIEN RÉPÉTER SON TEXTE...
SALUT RAMATOU ! JE T'EMMÈNE AU PARC ?
SALUT RAMATOUUU ...
JE T'EMMÈNE AU PARC ?
RA-MA-TOU
... AU PAAAARC ?
RRA...

... RESTER COOL DU SLIP...
SALOU RAMATU !
G..G..
JE TE PARQUE AU MÈNE ?
ARG
JE TE PÈNE AU MARC ?

... AVANCER SANS S'ARRÊTER...
... IMPACT DANS 30 SECONDES !
... DANS 10 !
9
8
7
6...

... JUSQU'AU POINT DE NON-RETOUR.
2
1...
... ZÉRO !
DRRIIINGZ

ÊTRE TOUJOURS PRÊT À IMPROVISER
SALU...
... EUH, MADAME.
?
RAMATA EST LOU ?
RAMATOU EST LÀ ?
G

RAMATOU ... ELLE EST CHEZ SA COPINE EVA AUJOURD'HUI.
C'EST POUR QUOI ?

... RESTER POSITIF...
POUR RIEN... POUR RIEN... ALLEZ, AU REVOIR MADAME...
BONNE JOURNÉE !
BEL APRÈS-MIDI...
JOYEUX NOËL ...

... ET SURTOUT...
BIEN SÛR QUE JE LUI AI DONNÉ TA LETTRE, JE SUIS PAS DÉBILE !
... JE M'EN SOUVIENS PARFAITEMENT !! JE LA LUI AI APPORTÉE EN MÊME TEMPS QUE MA DISPENSE DE PISCINE À LA MAÎTRESSE !

... NE JAMAIS COMPTER SUR LES COPAINS.
Je viendré te cherché chez toi mercredi à 15 heures parske tu fais battre mon Coeur. Titeuf.

Z.

le pourrisseur

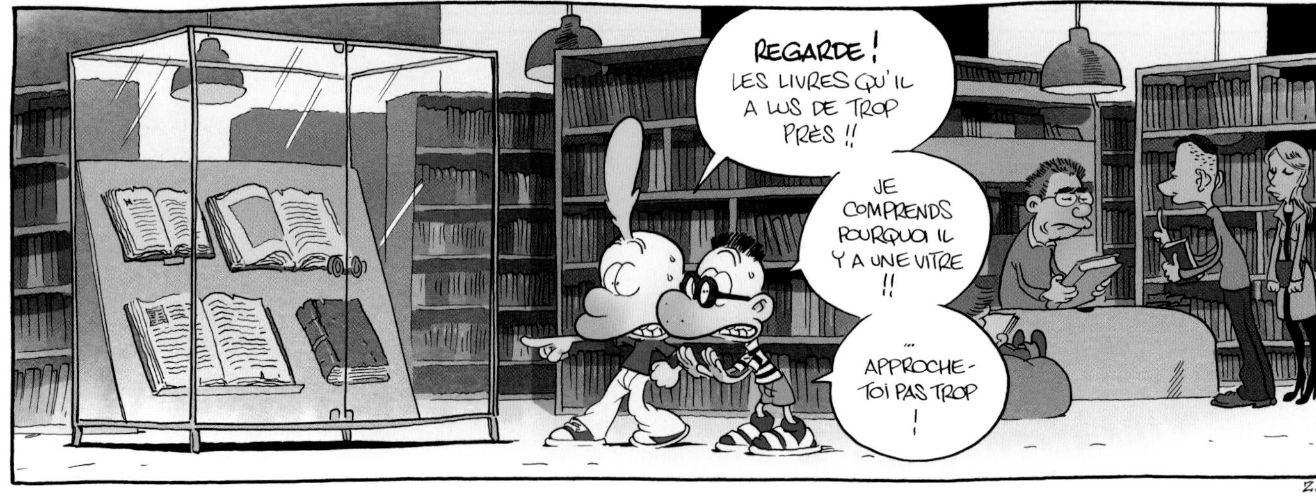

monsieur huguet

QUAND JE FAIS L'IDIOT, LA MAÎTRESSE DIT :

POUR DONNER UN DÉPART, IL DIT :

QUAND IL VEUT LE SILENCE, C'EST :

EN FAIT, IL PARLE LE PROFDEGYMIEN, UNE LANGUE SPÉCIALE QUI N'A QU'UN SEUL MOT :

ÇA DOIT PÔ ÊTRE FACILE POUR SA FAMILLE.

... EN TOUT CAS, ÇA A L'AIR DE PLAIRE AUX FILLES ...

... PEUT-ÊTRE PARCE QU'ELLES PARLENT AUSSI UNE LANGUE ASSEZ LIMITÉE... ?

vigie pirate

COMME ÇA, JE TRANSFORMERAIS LE GRAND DIEGO EN MICRO-DIEGO...

JE RELOOKERAIS KEVIN LOVER EN ELFE...

MA CHAMBRE SERAIT BIEN RANGÉE...

JE CHANGERAIS UN PEU LES RÈGLES DU QUIDDITCH ... POUR QUE CE SOIT PLUS RIGOLO...

JE LANCERAIS UN CHARME À RAMATOU...

NON, ÇA S'PEUT PAS. LES SORTS MAGIQUES NE PEUVENT PAS FORCER LES SENTIMENTS DE QUELQU'UN.

AH...

ALORS, JE DEVIENDRAIS LE RÊVE DE RAMATOU !

OH !! UN BILLET POUR LE CONCERT DE KEVIN LOVER !!

EN FAIT, HARRY POTTER, C'EST NUL.

welcome league

le vestiaire de la honte

HI HI

FLOC

BWÂÂ! C'EST DÉGUEU'!

HI! HI!

DÉBILE!

TU L'AS ACCROCHÉ À LA LAMPE!

BIEN FAIT!

?

QU'EST-CE QUE C'EST QUE...

FLOTCH

... DEPUIS, AVEC LE MAÎTRE NAGEUR, ON ÉVITE DE SE REGARDER DANS LES YEUX.

Z.

le pédophile des maths

?
?

C'ÉTAIT PAS UN VRAI FORT EN MATHS !! C'EST UN PÉDOPHILE DÉGUISÉ EN PREMIER DE LA CLASSE !!!
AH, D'ACCORD ...

SI ÇA SE TROUVE, IL EST NUL EN RACINES CARRÉES ET IL NOUS A DIT N'IMPORTE QUOI !!
AH, D'ACCORD...

ARRÊTE DE DIRE "AH D'ACCORD" !! Y'A UN PÉDOPHILE OBSÉDÉ QUI A UNE PHOTO DE TOI EN SLIP !!!
ON S'EN FICHE... JE LUI AI PAS DONNÉ MON NOM.

AH ! OUF ! T'AVAIS PRIS UN PSEUDONYME ??
...J'AI MIS "TITEUF".

QUOI ?! T'AS MIS MON NOM ??!!
LA MAÎTRESSE A DIT QU'IL FALLAIT JAMAIS METTRE LE SIEN.

TU PRENDS MON NOM POUR DISCUTER AVEC DES PÉDOPHILES SUR INTERNET ?!!
HÉ ! HO ! SI T'ES PAS CONTENT, TU FAIS TES LEÇONS TOUT SEUL !

ding
Bossdémaths: Alors Titeuf tu m'envoies cette vidéo ou je diffuse ta photo partout?

ET MOI JE DIS PARTOUT QUE BOSSDÉMATHS, C'EST UN GROS PÉDOPHILE DU ZIZI SEXUEL QUI DONNE RIEN QUE DES RÉPONSES POURRIES !!
BIEN DIT.
TK TK TK

TITEUF ! MANU ! ...ET VOTRE EXERCICE ?!!
ON TOUCHE PLUS AUX MATHS, MAÎTRESSE ...
C'EST POUR LES OBSÉDÉS.

evil tableau

rématuré

MERCI À MADAME FIBROME POUR SON PASSIONNANT COURS D'ÉDUCATION SEXUELLE ! SORTEZ EN SILENCE.

C'ÉTAIT PÔ PASSIONNANT DU TOUT. ELLE A MÊME PÔ EXPLIQUÉ COMMENT EMBRASSER AVEC LA LANGUE !
OUAIS
HÉ! TU SAIGNES !!

ÇA DOIT ÊTRE PARCE QUE JE ME SUIS CURÉ LE N...
T'AS TES RÈGLES !!

QUOI ?!
T'AS RIEN ÉCOUTÉ AU COURS D'ÉDUCATION DU ZIZI SEXUEL ?? ... VERS L'ADOLESCENCE, QUAND T'AS DU SANG QUI COULE, ÇA VEUT DIRE QUE T'AS TES RÈGLES.
T'AS TES RÈGLES DU NEZ !

QUEL RAPPORT ENTRE UNE RÈGLE ET DU SANG ?
C'EST PARCE QU'ON A UN OEUF DANS LE CORPS CHAQUE MOIS... ET SI IL EST PAS FÉCONDÉ, IL RESSORT...

... AVEC DU SANG !!
AAAAAAH !

ATTENDS... C'EST PÔ UN TRUC RÉSERVÉ AUX FILLES, LES RÈGLES ?
J'AI PAS TOUT SUIVI... MAIS EN TOUT CAS, 'VAUT MIEUX QUE ÇA COULE, SINON...

... ÇA VEUT DIRE QUE T'ES ENCEINTE DU NEZ !!
OUAK !

REGARDE MORVAX !
... AVEC SON PIF, IL DOIT ATTENDRE DES JUMEAUX !!
... AU MOINS !
SNRFL

TCHÂ

AU S'COURS !! MORVAX A ACCOUCHÉ DANS LA COUR !!!
AAAAH !
?

Stretching

LA PIRE DES PIRES MALÉDICTIONS DE LA GYM, C'EST DE GRIMPER AUX PERCHES ...
Y'A UNE DISPENSE POUR CEUX QUI ONT LES PIEDS PLATS ?
VERTIGE
RÂPAGE DES MAINS
ÉCORCHAGE DES CUISSES
HUMILIATION
LE BONUS DU PIRE, C'EST QUAND ON A MIS UN SLIP TROP LARGE ...
HA HA HA
HI HI HI

AYYYYY !
... ET QUE LE ZIZI COLLE À LA PERCHE DANS LA DESCENTE !

BON, J'EXAGÈRE UN PEU... MAIS ÇA FAIT HYPER MAL !
CRRRR...

SUR L'ORDINATEUR DU PÈRE DE MANU, Y'A TOUT LE TEMPS DES PUBLICITÉS BIZARRES...
"agrandissez votre pénis pour 100 €"
C'EST NUL ! Y'A QU'À DIRE À TON PÈRE DE GRIMPER À LA PERCHE ...
ET PAF ! IL ÉCONOMISE 100 EUROS !
PAS CON, JE VAIS LUI DIRE !
Z.

boum!
ATTENTION !!! VOICI LE CACA ATOMIQUE !
HEU... MAIS SI ON SE FAIT ATTRAPER ?!

BEN ...
ON A QU'À DIRE QU'ON EST DES TERRORISTES ...
Y'A PAS DE TERRORISTES QUI FONT PÉTER DES CROTTES DE CHIEN !

QUAND T'ES TERRORISTE, TU FAIS TOUT PÉTER... TU T'EN FICHES !
ÇA MARCHE PAS COMME ÇA

LE TERRORISTE, IL SE MET UNE CEINTURE D'EXPLOSIFS, IL DIT "ALLAH OUAKBAR" ET IL SE FAIT AUTO-PÉTER !
BEN NOUS, ON FAIT PÉTER UNE CROTTE DE CHIEN ! ...
ON A QU'À DIRE "ALLAH OUAH-OUAH-KBAR" !

... ET LE TERRORISTE, IL SE FAIT EXPLOSER POUR ALLER AU PARADIS ! Y'A PAS DE PARADIS DES CROTTES DE CHIEN !
ON N'EN SAIT RIEN !

TU DIS ÇA PARCE QUE TU FAIS DU RACISME CONTRE LES CROTTES DE CHIEN !
PFFF...
... ET QUE T'ES UN TROUILLARD !

J'M'EN FICHE !
JE LE FAIS QUAND MÊME !!

HIHIHI...
BANZAÏ OUAKBAR !

BAM

AVEC LES TERRORISTES, LA JUSTICE EST IMPITOYABLE !
OUAIS.

La campagne électorale

ON DEVRA FAIRE DES SORTIES EN PONEY !
... LES SALLES DE CLASSE SERONT REPEINTES EN ROSE !
C'EST PAS VRAI !
... IL Y EN AURA AUSSI EN MAUVE.

SI TU VOTES POUR MOI... FINIS LES DEVOIRS À DOMICILE !!
GÉNIAL !
C'EST IMPOSSIBLE !
C'EST CE QUE DISENT LES CANDIDATS SANS ZIZI !

AVEC TITEUF, L'IMPOSSIBLE DEVIENT POSSIBLE !!
WÉÉÉÉ !
PFF...

ET TOI, JEAN-CLAUDE ? TU VOTES POUR MOI ?
FEULEMENT FI TU FAIS QUELQUE FOVE D'EXFEPFIONNEL...
EXCEPTIONNEL ?... HEU... COMME QUOI ?

HEIN ?
... COMME BOTTER LES FEFFES DU GROS BORIF.

C'EST COMPLÈTEMENT DÉBILE !?!
AAH... F'EST LA POLITIQUE ! ON VEUT DES ACTES, PAS DES PROMEFFES.
FI T'ES PAS CAP'... MIEUX VAUT LAIFFER TOMBER.

VAV-Y, TITEUF !!
YEF YOU CAN !!

KNOTS

TU ES TOMBÉ BIEN BAS...
... MAIS JE SUIS REMONTÉ DANS LES SONDAGES !
OUY

la campagne électorale 2

marrons de destruction massive
AÏEU!
T'ES MALADE !!!
ÇA FAIT HYPER MAL !!
HI HI
HÉ HO ! DÉTENDS-TOI... TU VAS PÔ MOURIR.
C'EST RIEN QU'UN MARRON.
AH OUAIS?
EN PLUS, C'EST BIO.
ET MON PIED? IL EST BIO?
KROUTCH
KAÏÏÏÏÏÏÏÏÏ!!
JE LUI AVAIS DIT DE PAS METTRE SES MUNITIONS DANS LES POCHES.
AÏE!
Z.

beaux-arts

AVEC MANU, ON A UN SUPER JEU :
PFFRRT
À MOI !
ON DESSINE UN TRUC COCHON SUR LE PUPITRE...
OUAF !
... ET L'AUTRE DOIT LE CAMOUFLER.
C'EST UN CLOWN !
HA HA !
UNE PAIRE DE NÉNÉS...
ET HOP ! UNE VOITURE !
... NI VU NI CONNU.
QU'EST-CE QUI VOUS FAIT RIRE ?
... OH... UNE VOITURE ?
VOUS M'EFFACEREZ TOUT ÇA.
PFFRT
C'EST QUOI, ÇA ?
UN KIKI DE FILLE.
C'EST PÔ DU TOUT COMME ÇA, UN KIKI DE FILLE !
SI.
KLIK
C'EST COMME ÇA, REGARDE !
TU METS PLEIN DE POILS DESSUS POUR QU'ON VOIE PAS QUE TU DESSINES COMME UN NUL.
NK NK NK
JE DESSINE HYPER BIEN ! ET ÇA, C'EST UN KIKI DE FILLE !
PFF..
C'EST UN GRIBOUILLIS.
FR FRR
ON NE DESSINE PAS SUR LES PUPITRES !
OH ! ... LE PORTRAIT DE RAMON
... VOUS ME NETTOIEREZ ÇA !
PORQUÉ TOU MÉ REGARDES COMME ÇA ?
DÉGUEULASSE...
Z.

X-man

MANU... T'AS REMARQUÉ ?
QUOI ?
BEN... MOI T'AS RIEN REMARQUÉ ?
NGGNNN
HEUU...

T'ES CONSTIPÉ ?
MAIS NON ! JE SUIS EN TRAIN DE DEVENIR UN MUTANT !

QUOI ?
MAIS COMM...
CHUT.
DEPUIS UNE SEMAINE, JE METS DES PILES DANS MES POCHES.

ET ALORS ?
T'AS JAMAIS ENTENDU PARLER DES RADIATIONS ??
... DES FOIS TU M'FAIS PEUR, MANU !

C'EST COMME ÇA QUE TOUS LES X-MEN ONT ATTRAPÉ LEURS SUPER-POUVOIRS !
... AVEC DES PILES ?

MAIS NON ! AVEC DES RADIATIONS !! COMME HULK !! JE VAIS DEVENIR VERT ET DÉCHIRER MES HABITS !
TU VAS TE FAIRE ENGUEULER PAR TA MÈRE.

PERSONNE NE POURRA ENGUEULER TITULK ! JE SENS DÉJÀ LES RADIATIONS ATOMISER MES TISSUS MOLÉCULAIRES DU MUSCLE !
ÇA SE VOIT PAS ENCORE HYPER BIEN...

AMENEZ-MOI UN SUPER-MÉCHANT ET JE LUI FAIS BOUFFER SON SLIP !
RAAÂÂH !
ESSAIE DÉJÀ AVEC UN SUPER-PETIT...
... AU CAS OÙ TES MUSCLES EN TISSU SONT PAS ENCORE COMPLÈTEMENT ATOMISÉS.

T'AS RAISON !
TOI ! LE CRAPAUD ROUGE... TU AS PROVOQUÉ LA COLÈRE DE TITULK !
HEIN ?

DÉMEMBRATOR... AU S'COURS ...
GRRR

TA PEAU EST PAS HYPER VERTE...
MAIS POUR LES HABITS, ÇA A MARCHÉ !

les liaisons dangereuses

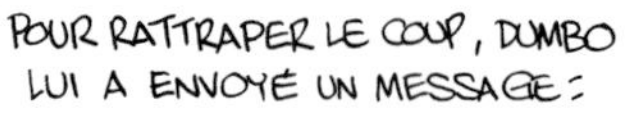

HEUREUSEMENT QUE JE SUIS PÔ UNE FILLE !

... PARCE QUE ÇA A L'AIR VRAIMENT COMPLIQUÉ !

menu du jeudi
ALORS ?
GÉNIAL ! ...MAIS ATTENTION, C'EST FORT !
C'EST PÔ POUR LES MOUS DU SLIP !
GLP !
OK. J'ESSAIE !
ENLÈVE TES LUNETTES !
... ON SAIT JAMAIS.
DRÔAA
GN
VIOLENT !
C'EST CLAIR : LE CHOU-FLEUR BRAISÉ DU JEUDI... 'FAUT PÔ ÊTRE UNE MAUVIETTE !

zéro en love

zéro en love
JE SUIS NUL À L'ORAL...
RAMATOUTU VEUSORTIRAVEQMOI ?
?

... NUL À L'ÉCRIT...
C'EST DANS QUEL SENS ?

NUL EN SPORT...
AU S'COURS !!

NUL EN ARTS PLASTIQUES...

NUL EN SCIENCES NATURELLES...
AH BON ? IL FALLAIT METTRE DE L'EAU ?

NUL EN TECHNO...
JE LUI AI ENVOYÉ UN TEXTO !
POURQUOI TITEUF ADORE MA CASQUETTE ?

NUL EN GÉOGRAPHIE...
T'ES SÛR QUE TU LUI AS DONNÉ RENDEZ-VOUS ICI ?
BEN ...
librairie

... NUL EN LANGUE...
T'ES SÛR QU'ON EMBRASSE COMME ÇA ?
ÇA A UN GOÛT DE CAOUTCHOUC !
AH BEN ÇA, C'EST LES FILLES...
'FAUT S'HABITUER !

RAMATOU ...
'FAUT VRAIMENT QUE TU BOSSES POUR REMONTER NOTRE MOYENNE !
?
?
?
?

hacun Son tour

à fond le slip !
AU LIEU DE FAIRE L'IDIOT, TU NE DEVRAIS PAS PRÉPARER TON INTERRO DE MATHS ?
Keep Out
Maboul
TOI NON PLUS, T'ES PAS PRÊT POUR LA BOUM DE SAMEDI ?
BEN NON ! MA MÈRE M'EMPÊCHE TOUT LE TEMPS DE RÉVISER !!